Michelle Obama

Ex primera dama y modelo a seguir

Grace Hansen

abdopublishing.com

Published by Abdo Kids, a division of ABDO, P.O. Box 398166, Minneapolis, Minnesota 55439.

Printed in the United States of America, North Mankato, Minnesota.

052018

092018

THIS BOOK CONTAINS RECYCLED MATERIALS

Spanish Translators: Laura Guerrero, Maria Puchol

Photo Credits: Alamy, AP Images, Getty Images, iStock, Seth Poppel/Yearbook Library, ©US White House p.17,19

Production Contributors: Teddy Borth, Jennie Forsberg, Grace Hansen

Design Contributors: Dorothy Toth, Laura Mitchell

Library of Congress Control Number: 2018931850

Publisher's Cataloging-in-Publication Data

Names: Hansen, Grace, author.

Title: Michelle Obama: ex primera dama y modelo a seguir / by Grace Hansen.

Other title: Michelle Obama: former First Lady & role model. Spanish

Description: Minneapolis, Minnesota : Abdo Kids, 2019. | Series: Biografías: personas que han hecho historia | Includes online resources and index.

Identifiers: ISBN 9781532180385 (lib.bdg.) | ISBN 9781532181245 (ebook)

Subjects: LCSH: Obama, Michelle, 1964---Juvenile literature. | Presidents' spouses--United States--Biography--Juvenile literature. | African American women lawyers--Illinois--Chicago--Biography--Juvenile literature. | Legislators' spouses--United States--Biography--Juvenile literature. | Spanish language materials--Juvenile literature.

Classification: DDC 973.932092--dc23

Contenido

Primeros años

Michelle LaVaughn Robinson nació el 17 de enero de 1964. Creció en Chicago, Illinois. Tuvo una infancia feliz. La educación era muy importante para sus padres.

Illinois

Para cuando llegó a sexto grado, Michelle ya estaba en el programa de niños superdotados de su escuela. Asistió a una buena escuela secundaria. Fue parte del **consejo estudiantil**. En 1981 se graduó la segunda de su clase.

Su carrera en Chicago

Michelle fue a la Universidad de Princeton. Luego fue a la Facultad de Derecho de Harvard. Después de estudiar derecho, se convirtió en abogada.

LEGES NON HOC EST VERBA EARUM TEN

Un hombre, que se llamaba Barack Obama, hizo unas prácticas en el despacho de abogados donde trabajaba Michelle. Michelle fue su **consejera**. Los dos se enamoraron y se casaron el 3 de octubre de 1992. Sus hijas Malia y Sasha nacieron en 1998 y 2001.

En 1991 Michelle decidió trabajar en el **sector público**. Se convirtió en asistente del alcalde de Chicago.

Primera dama

Michelle tuvo trabajos importantes. Pero un gran trabajo estaba por llegar. En 2009 Barack Obama fue elegido presidente. Michelle le había ayudado a **hacer campaña**. Ella se convirtió en primera dama de los Estados Unidos.

Michelle se convertía en la primera afro-americana esposa de presidente. Causó mucha admiración, ya mostraba claramente ser una líder fuerte.

Michelle apoyó muchas causas como primera dama. Ayudó a las familias de militares y a las mujeres trabajadoras. También fue una gran **defensora** de la educación y de la comida saludable.

SEAL OF THE PRESIDENT OF THE UNITED STATES

Michelle y su familia salieron de la Casa Blanca en 2017. Lo que sea que haga a continuación seguramente será algo excelente.